Bienvenue dans le monde des

ALBIN MICHEL JEUNESSE

Salut, c'est Téa, la sœur de Geronimo Stilton! Je suis envoyée spéciale de «l'Écho du rongeur», le journal le plus célèbre de l'île des Souris. J'adore les voyages et j'aime rencontrer des gens du monde entier, comme les Téa Sisters. Ce sont cinq amies vraiment épatantes. Je vous les présente!

Colette a une vraie passion pour le rose et c'est la fille la plus *fashion* du groupe. Toujours occupée à soigner son look, elle est sans cesse en retard!

Violet aime étudier et découvrir sans cesse de nouvelles choses. Elle aime la musique classique et rêve de devenir une grande violoniste!

Paméla mangerait sa pizza adorée même au petit déjeuner. C'est une mécanicienne accomplie. Donnez-lui un tournevis et elle vous réparera n'importe quel moteur !

PAULINA est un peu timide et brouillonne, mais aussi très altruiste. Comme elle aime voyager, elle connaît des gens de tous les pays.

Nicky est passionnée d'écologie et de nature. Elle vient d'Australie et aime la vie au grand air. Elle ne tient pas en place !

Téa Sisters

Texte de Téa Stilton.
*Basé sur une idée originale d'*Elisabetta Dami.
Sujet de Flavia Barelli *(Red Whale).*
*Supervision des textes d'*Elisabetta Ponzo *et* Flavia Barelli *(Red Whale).*
*Coordination des textes d'*Alessandra Berello *(Atlantyca S.p.A.)*
Coordination éditoriale de Patrizia Puricelli.
Édition de Daniela Finistauri.
Coordination artistique de Flavio Ferron.
Assistance artistique de Tommaso Valsecchi.
Couverture de Giuseppe Facciotto.
Illustrations intérieures de Francesco Castelli.
Graphisme de Yuko Egusa.
Cartes : Archives Piemme.
Traduction de Béatrice Didiot.

Les noms, personnages et traits distinctifs de Geronimo Stilton et de Téa Stilton sont déposés. Geronimo Stilton et Téa Stilton sont des marques commerciales, licence exclusive d'Atlantyca S.p.A. Tous droits réservés. Le droit moral de l'auteur est inaliénable.

www.geronimostilton.com

Pour l'édition originale :
© 2010, Edizioni Piemme S.p.A. – Corso Como, 15 – 20154 Milan, Italie
sous le titre *Sfida a ritmo di danza !*
International rights © Atlantyca S.p.A. – Via Leopardi, 8 – 20123 Milan, Italie – www.atlantyca.com
contact : foreignrights@atlantyca.it
Pour l'édition française :
© 2011, Albin Michel Jeunesse – 22, rue Huyghens, 75014 Paris – www.albin-michel.fr
Loi 49-956 du 16 juillet 1949 sur les publications destinées à la jeunesse
Dépôt légal : premier semestre 2011
N° d'édition : 19338/6
ISBN-13 : 978 2 226 21850 6
Imprimé en France par Pollina S.A. en mars 2013 - L64349B

Stilton est le nom d'un célèbre fromage anglais. C'est une marque déposée de Stilton Cheese Makers' Association. Pour plus d'informations, vous pouvez consulter le site www.stiltoncheese.com

Téa Stilton

LES REINES
DE LA DANSE

ALBIN MICHEL JEUNESSE

BON RETOUR, LES AMIS !

Sur le port de l'île des Baleines soufflait un petit VENT frais annonciateur de l'automne, désormais proche.

Le collège de Raxford était sur le point de rouvrir ses portes après la longue interruption de l'ÉTÉ, et l'hydroglisseur conduit par Bellâtre Septmerveilles y ramenait un flot d'étudiants prêts à attaquer une nouvelle et excitante année scolaire.

– EN AVANT, LES FILLES ! cria Paméla en sautant du bateau en compagnie des autres Téa Sisters. Beaucoup de bonnes SURPRISES nous attendent !

– C'est vrai, renchérit Nicky, derrière elle. Je suis impatiente de commencer le cours d'Écriture créative !

– Et moi de reprendre les leçons de musique, ajouta Violet avec un grand sourire.

– Les amies… intervint Colette, vous n'avez pas l'impression d'oublier la nouveauté la plus importante ?

– Tu as raison ! Le recteur a promis que, cette année, nous pourrions apprendre à jouer la comédie, à faire de la musique et même à danser, se souvint Paméla.

Poussant un cri de joie, elle saisit la main de Paulina et l'entraîna dans un amusant pas de deux inspiré du tango.

– HA, HA, HA ! C'est tout à fait ça ! s'esclaffa Colette. Ce sera un cours spécial, consacré aux disciplines artistiques, à la musique et au spectacle !

HOURRA !

HOURRA !

– Quel programme ! Il faut toutes nous y inscrire ! s'exclama Nicky.

Et les filles de s'écrier en chœur :

– HOURRA !
– HOURRA !

La gaieté des Téa Sisters attira l'attention de Tanja et de Craig, eux aussi à peine débarqués du bateau.

– Salut, les filles ! dit Craig. Vive les retrouvailles ! Mais qu'est-ce que vous FÊTEZ au juste ?

– On a hâte de commencer le nouveau cours ! claironna Paulina.

– Cette année, on va pouvoir CHANTEEER !

roucoula Nicky en faisant mine de tenir un micro.

_OUIIIII ! se réjouit Tanja. Alors, vous aussi, vous avez l'intention de vous inscrire à ce cours ? Moi, je n'ai pensé qu'à ça pendant tout l'été !

Entre-temps, Shen s'était approché du petit groupe.

– Moi aussi, je m'y suis préparé, dit-il en désignant la grosse VALISE qu'il traînait péniblement derrière lui. Là-dedans, il y a les plus grandes œuvres dramatiques des cent dernières années... J'aimerais être à la *hauteur* au cours de théâtre !

– Mouais... Le théâtre, c'est pas vraiment mon truc, réagit Craig.

Puis, pour rire, il attrapa Violet et la fit VIRE-

volter jusqu'à lui faire tourner la tête !

Leurs amis se mirent à applaudir et à encourager le couple de danseurs improvisés, qui, dans le feu de l'action, s'approchèrent dangereusement de la valise de Shen. Près... si près que...

PATATRAS !

... tous deux la percutèrent de plein fouet et firent une **culbute** spectaculaire !

Nicky les aida à se relever en ironisant :

– Pour l'instant, je dirais que la priorité est d'essayer d'arriver **ENTIERS** à la première leçon !

SURPRISES EN PERSPECTIVE !

Le petit groupe remettait un peu d'ordre dans sa présentation, lorsqu'Elly Calamaro les rejoignit en courant.

– Allez, les amis, **DÉPÊCHEZ-VOUS** ! Les professeurs et le recteur arrivent sur le quai pour accueillir la responsable du nouveau cours !

– Je brûle de la connaître : madame Ratinsky est une vraie CÉLÉBRITÉ ! soupira Colette en se dirigeant, en compagnie de ses amis, vers la **TRIBUNE** d'honneur érigée pour l'occasion.

– J'ai appris qu'elle a créé et dirigé plus de trente **pièces** de théâtre et spectacles musicaux ! C'est une LÉGENDE vivante ! renchérit Paulina.

Tanja ajouta :

– Et pour nous enseigner le chant, la danse et la comédie, elle a emmené avec elle ses *meilleurs* assistants.

– Il faut absolument que je déniche une tenue appropriée pour le premier cours… se dit tout haut Colette.

– Si j'étais toi, ma chère, j'attendrais un peu avant de renouveler ma garde-robe. Un cours de ce niveau n'est certainement pas ouvert à n'importe qui !

Les filles se retournèrent subitement. Inutile de se demander qui avait pu faire ce commentaire : *Vanilla de Vissen*, bien sûr !

La jeune fille avançait, plastronnante, entourée de ses fidèles acolytes, les Vanilla Girls.

Elle dépassa le groupe des Téa Sisters avec un air de défi, lâchant au passage :

– Après tout, vous pouvez toujours tenter votre chance, si vous en avez le **courage**...

– Tu peux y compter ! rétorqua Paméla, frémissant d'indignation.

– Nous ferons de notre mieux, en respectant les règles ! acheva Paulina sous la forme d'un AVERTISSEMENT aux Vanilla Girls, qui s'éloignaient, plus méprisantes que jamais.

Durant cet échange, Violet, songeuse, n'avait pas pipé mot. Son père, qui était chef d'orchestre, et sa mère, qui pratiquait le chant lyrique, lui avaient souvent parlé de *madame Ratinsky*. La responsable du nouveau cours proposé à Raxford avait été une danseuse classique très célèbre, et elle était connue dans le monde entier pour... son caractère

ÉPOUVANTABLE ! En fait, elle était, disait-on aussi, très exigeante, sévère et brusque avec ses élèves et ses assistants.

La jeune fille **CRAIGNAIT** donc que son cours ne soit finalement pas une partie de plaisir, comme tous l'avaient imaginé. Mais, ne voulant pas **gâcher** l'enthousiasme de ses amies, elle n'en dit rien.

– Allez, **EN ROUTE** ! s'exclama Elly. La vedette qui amène madame Ratinsky va accoster.

DRÔLE
D'ACCUEIL

Une grande vedette blanche s'approcha de l'île en vrombissant. Tout Raxford attendait fébrilement son accostage. Les étudiants, attroupés sur le quai, tendaient le cou dans l'espoir d'apercevoir, les premiers, la célèbre responsable du nouveau COURS, tandis que les professeurs, au grand complet, se pressaient sur la tribune érigée en son honneur.

Octave Encyclopédique de Ratis, le recteur du collège, semblait particulièrement agité. Il ne cessait de marcher de LONG en LARGE, harcelant les enseignants de questions :

– Est-ce que mon nœud papillon est bien droit ?
demandait-il au professeur Mari-
bran en tiraillant nerveusement
le col de sa chemise.

EUH, SUIS-JE COMME IL FAUT ?

– Vous pensez que la tribune
sera assez **GRANDE** ?
s'inquiétait-il auprès du professeur Delétincelle, qui le rassurait
pour la énième fois.

Puis il sursautait en fourrageant dans ses
poches.

– Mon discours ! Où ai-je mis mon discours ?
s'exclamait-il, tandis que madame Ratcliff lui
tendait quelques FEUILLES en secouant la tête avec indulgence.

– Vous n'avez pas l'impression que le recteur
est vraiment très NERVEUX ? murmura
Paulina à ses amies.

– En effet ! acquiesça Colette. Ce nouveau cours doit vraiment être **IMPORTANT** !

La vedette acheva les manœuvres d'accostage, et sur la passerelle apparut enfin un *élégant* et *mince* spécimen de souris, dont la longue et blonde chevelure tombait en cascade sur ses épaules enveloppées d'une moelleuse étole rose.

Le recteur attaqua aussitôt son discours en bafouillant légèrement d'**ÉMOTION** :

– Collègues, amis, étudiants, je suis particulièrement fier de vous présenter madame Ratinsky, la responsable de notre nouveau cours sur les Arts, la Musique et le Spectacle... Une grande **NOUVEAUTÉ** dans la prestigieuse histoire du collège de Raxford !

Les paroles du recteur furent ponctuées d'une salve d'applaudissements, mais madame Ratinsky,

n'esquissant pas le moindre sourire, s'avança, l'air **INDIFFÉRENT**.

Au milieu des murmures admiratifs de l'assistance, le professeur Aristoratos passa au recteur l'**ÉCRIN** que celui-ci avait prévu d'offrir à la nouvelle enseignante. Mais madame Ratinsky l'arrêta net :

– Merci pour tout, Octave, mais, comme tu devrais le savoir, les solennités ne m'intéressent pas !

Le recteur en resta **PÉTRIFIÉ**, et madame Ratinsky d'ajouter sèchement :

– Nous avons beaucoup de travail : inutile de perdre davantage de **TEMPS** !

Sur ces mots, elle se dirigea vers le parking. Après quelques minutes d'**embarras**, tous prirent le chemin du collège.

MYSTÈRE
AU PROGRAMME

– Quel comportement bizarre ! médita Paulina, qui était restée en arrière avec les autres Téa Sisters.

Toutes étaient surprises du ton **BRUSQUE** avec lequel la nouvelle enseignante s'était adressée au recteur.

– Qui sait ce que contenait ce magnifique écrin... poursuivit Nicky.

– Mmmh... fit Paméla. Il y a certainement, là-dessous, des choses que l'on ignore.

– Mais qu'on pourrait *découvrir* ! conclut Paulina en adressant un clin d'œil à ses amies.

Au même moment, une rutilante voiture *ROUGE*

ralentit à proximité, conduite par Bartholomé Delétincelle, qui entreprit de la garer.

Paméla saisit l'occasion pour le saluer et l'interroger :

– DRÔLE de cérémonie, vous ne trouvez pas, professeur ?

Elle espérait qu'il l'aiderait à éclaircir le MYSTÈRE de l'étonnante arrivée de madame Ratinsky à Raxford.

– Assurément, aucun de nous ne l'imaginait

ILS SE CONNAISSAIENT DÉJÀ ?!

comme ça ! acquiesça l'enseignant. Même si le recteur nous avait avertis du TEMPÉRAMENT de Madame !

– Le recteur connaissait donc déjà madame Ratinsky ? demanda Violet.

– Absolument ! confirma-t-il, avant d'ajouter : Figurez-vous qu'Octave Encyclopédique de Ratis et elle ont fréquenté Raxford à la même époque, et ils étaient **amis** avant qu'elle ne parte précipitamment !

– Madame Ratinsky a **QUITTÉ** brusquement le collège ?!? s'exclama Colette, incrédule.

– C'est ce qu'on dit, mais je serais incapable de vous en dire plus… s'excusa-t-il.

Après cela, le **PROFESSEUR** salua les filles et s'éloigna.

– Ainsi le recteur et madame Ratinsky ont étudié ici en même temps et, à l'évidence, ne sont pas restés en **BONS** termes, résuma Paméla.

– Exact ! confirma Nicky. Mais nous devons plus… tâcher d'en savoir

TOUS EN SCÈNE !

Quand les Téa Sisters rejoignirent enfin le collège, elles trouvèrent l'entrée principale **BLOQUÉE** par un gros camion rouge. Les étudiants qui avaient quitté le port avant elles s'activaient à en décharger des objets aux FORMES et aux *COULEURS* étranges.

Les premiers à venir à leur rencontre, les bras chargés d'affaires, furent Tanja, Craig et Shen.

– Les filles, venez nous aider ! dit Tanja. Il y a plein de costumes, de **PERRUQUES** et de MICROS à transporter à l'intérieur…

– Tout juste ! confirma Craig, ployant sous le

poids d'un énorme projecteur. Il y a de quoi CONSTRUIRE tout un théâtre !

Pendant que les assistants improvisés, pleins de bonne volonté, disparaissaient avec leur charge à l'intérieur du collège, du fond du camion surgit un visage sympathique et SOURIANT.

Paulina fut la première à reconnaître le fascinant professeur d'art dramatique.

– Mais… c'est le mythique ROBERT SHOW !

L'enseignant descendit avec agilité du camion, et, arrangeant la **mèche** qui tombait sur son front, s'exclama d'une voix sonore :

– ALLEZ, LES AMIS, NE TRAÎNONS PAS !

Peu après, revenu d'un salutaire petit footing, apparut un autre nouveau pro-

fesseur, qui ne tarderait pas à faire battre le cœur des étudiants sur un rythme de danse : **Rosalyn Plié !**
Occupé à décharger le Ⓒ Ⓐ Ⓜ Ⓘ Ⓞ Ⓝ, Robert Show ne s'était pas aperçu de sa présence. La jeune enseignante s'approcha avec grâce et le salua affectueusement :

– Salut, Robert !

– Hello, Rosalyn ! Tu arrives juste à temps ! lui répondit-il en lui passant quelques **CARTONS** remplis de costumes et de perruques de scène.

– Mais, que fais-tu ?! balbutia la jeune femme en chancelant sous le poids des paquets.

– Aide-moi, s'il te plaît, car je dois *FILER*, répliqua-t-il en disparaissant rapidement dans le bâtiment. Je viens de me rappeler que j'ai laissé

le ROBINET de ma chambre ouvert.
Je préférerais ne pas **INONDER** le collège le
jour même de mon arrivée !

– Robert ne changera jamais...

toujours la tête dans les nuages !

commenta Rosalyn Plié en souriant.

ÉCLAIRS D'ORAGE DANS UN CIEL SEREIN

Les Téa Sisters s'approchèrent aussitôt de mademoiselle Plié pour lui proposer leur aide.

– Je suis Paméla et voici Violet, Nicky, PAULINA et Colette ! déclara la première en guise de présentation avant de libérer l'enseignante d'un plein carton de perruques.

– ENCHANTÉE, MESDEMOISELLES ! s'exclama celle-ci. Il faut encore que nous trouvions nos marques, mais ce sera un grand plaisir d'enseigner dans ce collège !

– Le cours portera sur les différentes disciplines liées au SPECTACLE, c'est bien ça ?

demanda Violet en soulevant un **CARTON** avec l'aide de Colette.

– Absolument ! sourit plaisamment mademoiselle Plié en pénétrant dans le collège avec les Téa Sisters. Le cours a été conçu et il sera dirigé par madame Ratinsky. Il se compose de trois MATIÈRES : l'art dramatique, dont s'occupe Robert Show ; la danse, qui est mon domaine, et enfin... Ah, mais voici justement **SOURYA**, votre professeur de chant ! s'interrompit Rosalyn en désignant la troisième jeune assistante de madame Ratinsky. Une jeune femme enjouée, à la chevelure semée de mèches colorées, s'avança vers elle dans le couloir. Mais avant que les Téa Sisters n'aient eu le temps de se pré-

senter, une musique assourdissante envahit l'ATMOSPHÈRE, et le professeur de chant se retrouva face à un tourbillon bariolé et bruyant... vraiment très bruyant !
Vanilla et ses amies, décidées à impressionner l'enseignante, avaient travaillé toute la matinée à un numéro qu'elles comptaient présenter en plein couloir, devant tout le monde !

– ET TROIS ET QUATRE ET CINQ ! lança Vanilla.

En un clin d'œil, Zoé, Alicia et Connie se mirent en position pour commencer leur exhibition de DANSE et de chant.

– Je n'arrive pas à y croire ! s'exclama Paméla, abasourdie. Cette fois, Vanilla s'est vraiment surpassée !

– Euhm… ces filles sont vos **amies** ? chuchota avec embarras mademoiselle Plié.

– Pas exactement… répondit diplomatiquement Paulina.

– La prof découvrira bien assez tôt les mille et un TALENTS de Vanilla de Vissen ! s'amusa tout bas Colette, et les filles partirent d'un grand éclat de rire.

– Je reconnais que c'est une idée assez originale, commenta Rosalyn, mais chacune de vous a, au fond d'elle, un don **particulier** ! Par exemple, j'ai remarqué la démarche GRA-

CIEUSE de Colette, ou les mouvements harmonieux de Violet ! Sans parler de la **FORCE** de Nicky et de l'ÉNERGIE de Paméla, ou encore de l'AGILITÉ de Paulina ! Toutes ces qualités sont importantes dans la danse. Elles permettent de s'exprimer à travers son corps... En entendant les compliments de l'enseignante, les Téa Sisters échangèrent des regards JOYEUX, tandis que Vanilla et ses amies continuaient à chanter à pleins poumons...

Soudain retentit une voix ferme et autoritaire :

QUEL EST CE CONCERT DE GRENOUILLES ?!

Sur ces mots, madame Ratinsky s'avança dans le couloir du collège, accompagnée du recteur et des autres professeurs.

Vanilla cessa net de chanter et de danser, tandis

que Sourya dissimulait un rire étouffé derrière sa **PATTE**.

Zoé, **ROUGE** de honte, s'empressa d'arrêter la musique. Un silence glacial envahit l'assistance, tous se regardant l'air un peu *EFFRAYÉ*... Madame Ratinsky semblait la **SÉVÉRITÉ** incarnée !

QUEL VACARME !

GLOUPS !

Avis
DE VENT FORT

Madame Ratinsky poursuivit sa visite du collège, suivie du recteur, tout occupé à vanter les mérites de ses étudiants.

À PEINE PASSABLE...

– En voici justement quelques-unes parmi les *meilleurs*. Elles…

– Bien ! l'interrompit-elle en passant en revue les Téa Sisters d'un œil **CRITIQUE**.

Elle s'approcha de Colette.

– Tu es plutôt gracieuse… Mais on dirait que tu ne sais pas quoi faire de tes **BRAS** !

REDRESSE-TOI !

Puis elle avança d'un pas résolu jusqu'à Violet et la regarda dans les yeux.

– Intéressante, mais à quoi ressemble ce dos **VOÛTÉ** ?

Le sévère examen des troupes continua avec Paulina :

NE SAUTILLE PAS !

– Tu es agile, on dirait, mais arrête de sautiller comme ça !

Se tournant vers Paméla, elle observa :

– Et là, je vois une belle **ÉNERGIE** musculaire, mais qu'est-il arrivé à tes

TROP RAIDE !

épaules ? Elles sont trop **RAIDES** !

Enfin, elle détailla Nicky et conclut :

– Tu as de beaux pieds, mais attention à la manière dont tu les places. On n'est pas sur un terrain de **FOOTBALL** !

En voyant

QUELS PIEDS !

l'air effrayé des Téa Sisters, Vanilla de Vissen jubila : enfin, quelqu'un clouait le bec à ces *FRI- MEUSES* ! Malgré tout, cette enseignante commençait à lui être très sympathique.

Madame Ratinsky conclut :

– Je crois que j'en ai assez vu. Je vous conseille à tous de vous inscrire à mon cours si vous voulez acquérir un minimum de style et d'*ÉLÉGANCE* !

Le recteur s'éclaircit la voix et, à son tour, encouragea ses étudiants :

– Mes chers enfants, ce sera pour vous tous une **EXPÉRIENCE** unique ! Le cours de madame Ratinsky constitue une **NOUVEAUTÉ** absolue pour cet établissement, et je suis certain que vous saurez saisir cette opportunité !

– Je l'espère bien, l'interrompit madame Ratinsky. La valeur de mes cours est reconnue dans le monde entier, depuis bien des années. À moins que le COLLÈGE DE RAXFORD ne sache pas apprécier ce qui, partout ailleurs, est encensé…

Le recteur répliqua :

– Je t'assure que ces jeunes gens te surprendront : ils sont prêts à donner le meilleur d'eux-mêmes avec le plus grand **enthousiasme** !

Madame Ratinsky n'avait pourtant pas l'air convaincu. Elle soupira :

– Tu es vraiment sûr que les choses ont changé depuis l'époque où…

Mais elle n'alla pas plus loin, laissant sa phrase flotter dans l'AIR, inachevée.

Puis, elle rappela brusquement ses assistants auprès d'elle, se **HÂTA** de prendre congé et s'éloigna en compagnie du recteur.

Sa prise de bec avec Octave Encyclopédique de Ratis et sa phrase **mystérieuse-ment** interrompue n'avaient pas échappé aux Téa Sisters.

En revanche, Vanilla et ses amies n'avaient pas

relevé les frictions entre les deux personnages.

Vanilla était un peu dépitée d'avoir été remise

à sa place pendant son numéro,

mais les qualités de la nouvelle

responsable la faisaient

rêver : la célébrité, le

charisme, l'élégance, et

surtout, l'art et la manière

d'inspirer la peur et le respect...

C'était exactement ce qu'elle

désirait pour elle-même dans la vie !

Vanilla appela ses amies :

– Zoé ! Alicia ! Connie !

Puis elle annonça :

– Nous devons **absolument** suivre ce cours.

C'est l'occasion de ma vie, et je ne laisserai rien

ni PERSONNE se mettre en travers de mon

chemin !

UN SAUT DANS LE PASSÉ

Les Téa Sisters observèrent le départ de Vanilla en compagnie de Connie, Zoé et Alicia, et se dirigèrent, à leur tour, vers leurs CHAMBRES.

– Être admises au nouveau cours ne sera pas aussi facile qu'on l'avait imaginé, observa Paméla.

Puis elle ajouta en souriant :

– Mais nous ferons le maximum pour y arriver !

– Et puis, il nous faut résoudre le mystère de l'amitié du recteur avec madame Ratinsky, rappela Violet. Chaque fois qu'il essaie de se montrer gentil avec elle…

– … elle monte sur ses grands CHEVAUX, compléta Paulina.

Colette ajouta, pour sa part :

– En tout cas, quelle chevelure ! Peut-être utilise-t-elle, comme moi, une huile au **CONCOMBRE** ?

– Un autre grand mystère à élucider ! répliqua Paméla, provoquant un éclat de rire général.

– J'ai une idée, intervint Paulina. Comme nous savons que madame Ratinsky a étudié ici, nous trouverons peut-être une **TRACE** de son passage dans la Galerie des souvenirs !

– **Très juste !** répondit Paméla. On y conserve la **PHOTO** de tous les anciens étudiants du collège !

Les filles traversèrent le Jardin des herbes aromatiques et pénétrèrent dans la tour du Nord, qui ouvrait directement sur la Galerie des souvenirs.

– **REGARDEZ !** s'exclama Nicky en indiquant l'une des photos accrochées au mur.

– C'est celle de notre première année au collège !

– Quelle *émotion* ! Vous vous en souvenez ?

– Et comment ! Et voici **Téa** ! signala Nicky en désignant une photo dans un cadre doré.

Colette soupira, pleine d'ADMiRATiON.

– Quand on pense à tout le chemin qu'elle a parcouru…

– … et à tout ce qu'il nous reste à apprendre d'elle ! rappela Paméla.

Entre-temps, Violet n'avait cessé de chercher la **PHOTO** de madame Ratinsky.

TÉA STILTON

– Pour la trouver, il faut revenir encore quelques années en arrière. Peut-être là-bas… Mais, bien sûr ! **Voici les photos qui nous intéressent !**

INESTIMABLE ISIDORE !

Une voix familière arracha alors les Téa Sisters à leur réflexion :

– Je peux vous **AIDER**, les filles ?

C'était Isidore Rondouillard, le rongeur à tout faire du collège. Isidore connaissait la longue histoire de Raxford dans le moindre DÉTAIL, et il prenait très au sérieux son rôle de gardien de ces souvenirs. Chaque jour, il époussetait, l'une après l'autre, toutes les photos de la galerie.

– Bonjour, Isidore ! dit Nicky. Nous cherchons la photo de madame Ratinsky, car nous avons découvert qu'elle aussi fréquentait le collège il y a de nombreuses années !

– C'est tout à fait vrai ! répondit Isidore. À l'époque, j'étais un jeune garçon et j'aidais mon père dans son travail… Je me souviens parfaitement d'elle. C'était une demoiselle pleine de vivacité et d'idées, un peu comme vous ! Savez-vous que c'est elle qui a créé, il y a près de trente ans, le fameux Club des Lézards noirs !

C'ÉTAIT UNE JEUNE FILLE BRILLANTE !

– C'est elle qui a fondé notre club ? s'exclama Paméla.

– En effet, confirma Isidore. À l'époque, c'était une grande **innovation**, car le collège n'avait alors qu'un club réservé aux garçons, le Club des Lézards verts. La jeune Ratinsky s'est battue pour obtenir la parité entre filles et garçons, mais, malheureusement, elle s'est heurtée à un recteur très **RIGIDE**, formé à l'ancienne !

Isidore désigna un cadre qui rehaussait le portrait d'un sinistre rongeur à l'air renfrogné,

arborant des bésicles et une grosse **MOUSTACHE** blanche.

Et d'expliquer :

– Il lança un défi à la jeune Ratinsky, en lui disant : « Vous aurez votre club si vous rem-

portez une **ÉPREUVE** contre les garçons des Lézards verts ! »

Violet ÉCOUTAIT, le souffle coupé.

– Que répondit-elle ?

– Elle accepta le défi ! Mais, pendant l'épreuve, QUELQUE CHOSE survint qui conduisit la jeune Ratinsky à s'en aller… J'ignore ce que c'était. Quoi qu'il en soit, le club des filles fut bel et bien créé, mais, pour la demoiselle, c'était trop tard : elle avait déjà quitté le collège…

Les Téa Sisters remercièrent Isidore et sortirent de la Galerie des souvenirs plus perplexes que jamais. Qu'avait-il bien pu se passer pendant l'épreuve ? Et quel rôle Octave Encyclopédique avait-il joué dans cette vieille **affaire** ?

DU DÉFI DANS L'AIR !

Le lendemain matin, Paméla traversa le collège à toute vitesse, tenant encore un **BISCUIT** du petit déjeuner à la patte. Elle encouragea ses amies à se presser :

VITE !

– Vite, les filles, ou on arrivera en retard à l'inscription !
La première LEÇON du nouveau cours semblait désormais si proche que le mystère du *défi* lancé jadis aux deux clubs paraissait, lui, bien lointain…
Le recteur avait réservé le **GYMNASE** pour les

cours de madame Ratinsky. Dans la grande salle, la lumière entrait à flots à travers les baies vitrées et se reflétait dans les vastes MIROIRS, équipés de **BARRES** de danse. Sur la surface du parquet avaient été installés des sièges, destinés aux candidats à l'inscription.

Madame Ratinsky et ses trois ASSISTANTS étaient déjà présents dans la salle. Les Téa Sisters prirent place en silence, intimidées par l'expression sévère de la responsable.

Mais le professeur Plié leur adressa un large SOURIRE, qui leur redonna un peu de courage.

La dernière arrivée fut Vanilla, qui parcourut le gymnase d'un air hautain et s'installa au tout premier RANG, à la place que ses amies lui avaient réservée.

Nicky remarqua la présence de Vik de Vissen au

fond de la salle : même le frère de cette enfant **GÂTÉE** était intrigué par le nouveau cours !

Quand tous furent assis en silence, madame Ratinsky commença sa présentation :

– Étudiants de Raxford, je puis vous garantir que notre cours sera d'un très haut niveau, et, précisément pour cette raison, il vous faudra passer une épreuve pour vous y inscrire.

Au mot « **ÉPREUVE** », un chuchotement fébrile se propagea dans l'assistance. D'un coup d'œil **GLACIAL**, madame Ratinsky étouffa tout commentaire.

– Vous devrez montrer que vous savez DANSER et que vous vous y connaissez en *MUSIQUE*, que vous chantez juste et que vous avez de véritables dons d'interprétation, ajouta-t-elle avec un petit sourire. Je conseille à ceux qui ne seraient pas à la hauteur de renoncer immédiatement. J'ai des doutes quant à la capacité des étudiants de ce collège d'affronter un défi à la régulière, mais que ce soit bien clair : à partir de maintenant, je ne tolérerai aucune espèce d'embrouille !

– Nous ferons de notre mieux !

répliqua spontanément Paulina, indignée par les insinuations de madame Ratinsky. S'il est une chose que notre recteur nous a inculquée, c'est justement de toujours nous comporter **LOYALE-MENT**…

– Eh bien, nous verrons ! l'interrompit la responsable. C'est d'ailleurs pour cela que je suis là ! Ceux qui voudront faire l'essai disposeront d'un délai d'une semaine pour mettre au point

NOUS AGISSONS TOUJOURS LOYALEMENT !

une composition libre de danse avec *MUSI-QUE*, LUMIÈRES et cOstumes !
Sur ces mots, l'enseignante quitta la salle qui bruissait de discussions *inquiètes*.

– Je n'en crois pas mes oreilles ! dit Violet. On dirait qu'elle en veut non seulement au recteur, mais aussi au collège tout entier !

_Allez, courage, les filles ! s'exclama Nicky. Nous réussirons à convaincre madame Ratinsky qu'elle se **TROMPE**... et que nous sommes bel et bien dignes d'assister à son cours !

MÊME PAS PEUR !

Les trois assistants de madame Ratinsky étaient restés.

Sourya prit la parole la première :

– C'est une épreuve AMBITIEUSE, mais vous ne devez pas vous laisser impressionner !

– Nous vous demandons un engagement maximum, compléta Robert Show, mais, ne vous en faites pas, nous n'attendons pas de vous la PERFECTION.

Et le professeur Plié de conclure :

– Le thème à développer dans votre composition sera : *LE MONDE SUR UN PAS DE DANSE* ! Chaque équipe devra exprimer chorégraphiquement comment elle perçoit le monde qui nous entoure.

– Quel beau défi ! commenta Nicky.

– Ce sera amusant ! sourit Violet.

– Pour composer les groupes de travail, nous avons besoin de vous connaître un peu plus, ajouta Sourya. Nous allons donc maintenant vous auditionner, un par un, pour définir quelle fonction conviendra le mieux à chacun d'entre vous !

– Nous vous appellerons dans l'ordre alphabétique, ajouta le professeur Show en essayant de déchiffrer une liste de noms *griffonnée* et presque illisible. Euh… ou plutôt dans votre ordre d'arrivée ! conclut-il dans un sourire, abandonnant ses FEUILLES sur le bureau. Les étudiants partirent attendre dans le couloir.

Violet confia à Paulina, qui était à côté d'elle :

– Je ne sais vraiment pas ce que je dirai quand ce sera mon tour !

Son amie lui prit la main et la rassura :

– Ne t'inquiète pas ! Quand tu seras à l'inté-rieur, il te suffira d'être toi-même et tu feras des **ÉTINCELLES** !

Un par un, la gorge serrée, les étudiants entrè-rent pour passer leur entretien. En sortant, ils se sentaient LÉGERS comme des plumes et se mettaient aussitôt à discuter avec leurs amis du rôle qui leur avait été attribué.

En fin de journée, les étudiants furent à nouveau rassemblés dans le gymnase pour **FORMER** les groupes de travail. Les Téa Sisters furent dési-gnées danseuses d'une équipe comprenant Elly et Tanja comme costumières et Shen comme respon-sable de la musique et des éclairages. La petite compagnie s'en félicita joyeusement en se **serrant** dans les bras.

Un peu plus loin, Vanilla aussi était satisfaite : son équipe comptait toutes les Vanilla Girls, ainsi que Vik, Sebastian et Craig.

Une lueur de PERFIDIE traversa le regard de la jeune fille, qui murmura avec un sourire mauvais :

Un début d'explication

Pendant que les Téa Sisters sortaient du gymnase où les **ÉQUIPES** avaient été formées, le professeur Plié s'approcha de Paulina et lui toucha doucement l'épaule.

– Tu sais, Paulina, j'ai beaucoup **APPRÉCIÉ** tes paroles pendant le discours de madame Ratinsky, lui dit-elle. L'**HONNÊTETÉ** est essentielle et je suis sûre que vous donnerez le meilleur de vous-mêmes.

Les autres filles s'approchèrent, intriguées, et Paulina en profita pour poser une question :

– Pourquoi madame Ratinsky est-elle aussi **DURE** avec le recteur et tout le collège ?

Mademoiselle Plié soupira :

– C'est une enseignante très **exigeante** qui demande énormément à ses élèves et à elle-même, et ce depuis qu'elle a quitté ce collège, il y a de nombreuses années...

– Nous savons qu'elle a dû relever un défi contre le *CLUB DES LÉZARDS VERTS*, dit Paulina, mais que s'est-il passé après ? Et pourquoi a-t-elle dû quitter le COLLÈGE ? Rosalyn Plié commença à raconter :

C'EST UNE TRÈS VIEILLE HISTOIRE...

– Je ne sais pas précisément comment les choses sont arrivées... mais je peux vous dire qu'à l'**ÉPOQUE** du défi le président du Club des Lézards verts était votre recteur : Octave Encyclopédique de Ratis. Madame Ratinsky l'a affronté dans une série d'*ÉPREUVES*, et ils étaient alors très amis !

Les cinq FILLES écoutaient le récit de l'enseignante avec la plus grande attention.

LA COURSE

– Après les premières compétitions, les deux groupes étaient à égalité. Puis, le test de mathématiques accorda un net avantage aux filles. Mais ce n'était pas fini : la dernière manche était une compétition **SPORTIVE**, que l'équipe de madame Ratinsky avait longuement préparée. Or quelque chose alla de **travers** et les Lézards verts emportèrent la victoire finale.

Madame Ratinsky accusa l'équipe dirigée par son ami d'avoir tRîcHé. Mais le recteur de l'époque, qui était intransigeant, ne toléra pas ces accusations et décida d'expulser la contestataire de Raxford !

– Il est impensable qu'Octave Encyclopédique de Ratis ait COMPROMIS les chances de l'équipe adverse ! Il est la droiture incarnée ! s'écria Paméla.

– Nous ferons tout notre possible pour redorer le blason du collège aux YEUX de madame Ratinsky, assura Nicky, et pour aider notre recteur à raviver cette *amitié* perdue !

ATTENTION,
ESPIONNE EN VUE !

Le jour suivant, l'équipe des Téa Sisters se réunit pour travailler.

Colette avait apporté une SONO portable et fit écouter une chanson à ses compagnons. La mélodie commençait avec des accents *doux* et mélancoliques, puis devenait plus VIVANTE jusqu'à exploser dans un rythme ENDIABLÉ !

– Ça a l'air de vous plaire ! observa joyeusement Colette en voyant ses amis bouger la tête et BATTRE le tempo. C'est un morceau que j'écoute depuis que je suis enfant. Si vous êtes d'accord, ce pourrait être la musique de notre chorégraphie.

– *Elle est magnifique, Coco* ! s'exclama Paulina.

Nicky proposa :

– On pourrait la rendre plus actuelle avec un nouvel arrangement…

– Et les LUMIÈRES permettront de créer la bonne atmosphère ! ajouta Shen.

Tanja réfléchit aux costumes.

– Que diriez-vous de teintes inspirées des couleurs de l'ÉTÉ ?

– Oui, des tons chauds et lumineux… avec des accessoires suggérant la nature ! poursuivit Elly.

Violet se leva avec détermination.

– Parfait, mais avant de mettre nos idées en pratique… reprenons des forces avec une bonne TISANE à l'eucalyptus !

– N'oublie surtout pas les biscuits au fromage, ajouta Paméla, l'air affamé. Une montagne de **BISCUITS** !

Pendant ce temps, un étrange personnage, équipé d'un balai et de chiffons, s'activait dans le couloir. Cet individu **COCASSE**, affublé d'un grand tablier et d'un fichu vert, n'était autre que… Zoé ! Vanilla et ses amies étaient, en effet, bien décidées à mettre des BÂTONS dans les roues de leurs rivales. Pendant que Vanilla passait un **MYSTÉRIEUX** coup de fil, Alicia et Connie pillaient tous les magasins d'articles de danse de l'île. La mission la plus importante avait cependant été confiée à Zoé : se travestir et **ÉPIER** chaque mouvement des Téa Sisters ! Zoé s'était approchée de plus en plus près de la porte derrière laquelle était réunie l'équipe des Téa Sisters, et elle écoutait la mélodie avec la plus grande **ATTENTION**, tentant d'en mémoriser chaque note.

Mais quand Violet sortit pour préparer la tisane…

VLAN!

Zoé prit la porte en pleine figure et finit les quatre **PATTES** en l'air ! Elle se releva et s'enfuit immédiatement en jurant dans sa barbe.

Elle avait couru un **RISQUE**, mais sa mission était accomplie !

ÇA SENT LE ROUSSÎ !

Pendant que les Vanilla Girls manigançaient dans l'ombre, l'équipe des Téa Sisters se consacrait aux préparatifs pour l'épreuve d'*admission*.

Les équipes avaient conçu un planning pour s'entraîner à tour de rôle dans la grande salle aux MIROIRS réservée aux cours de madame Ratinsky.

– EN AVANT, LES FILLES ! C'est à nous ! proclama Paulina pendant que toutes s'approchaient du gymnase.

– Chhhhut ! murmura soudain Violet. Vous entendez ! Cette *mélodie* paraît étrangement familière, non ?!

– Par toutes les poches des marsupiaux ! éclata Nicky. Quelqu'un est en train de passer notre musique !

Les filles se ruèrent dans la salle, où les attendait une bien **MAUVAISE** surprise : l'équipe de Vanilla au complet s'entraînait sur leur morceau !

Pam bouillonnait de **RAGE**.

– Comment avez-vous eu cette musique ?!?

– Elle te plaît ? demanda Vanilla candidement. Nous l'avons retenue pour notre essai, et figure-toi que madame Ratinsky l'a littéralement **A-DO-RÉE**. Elle nous a félicités de notre choix !

Zoé, Connie et Alicia échangèrent un regard de **CONNIVENCE** et étouffèrent un petit rire.

Dans un angle du gymnase, Vik

avait interrompu son entraînement et contemplait sa sœur en SECOUANT la tête : il ne savait rien de sa tricherie, mais soupçonnait Vanilla d'avoir une fois de plus mijoté un SALE tour...

Colette, que la **DÉCEPTION** avait émue jusqu'aux larmes, ne put se retenir :

– Vous n'avez pas le droit ! Cette musique était la nôtre et...

– Ça ne fait rien, Coco, la rassura Paméla, qui s'était efforcée de se calmer. Nous en trouverons une autre, encore plus *belle* ! Tu verras !

– Pam a raison ! insista Nicky. En plus, nous ne pouvons pas prouver à madame Ratinsky que Vanilla nous l'a VOLÉE !

– Comment ont-elles bien pu faire ???? interrogea Paulina, stupéfaite.

Violet réfléchit un moment et se souvint de

l'étrange employée qu'elle avait fait TOMBER dans le couloir, quelques jours plus tôt.

– Peut-être quelqu'un a-t-il écouté aux portes quand nous avons choisi ce MORCEAU ! observa-t-elle.

– Vous n'avez pas la moindre PREUVE de cela ! l'interrompit Vanilla.

Shen dit alors pour en finir :

– Restons-en là, les filles : pas la peine de perdre notre **TEMPS** avec elles ! Dès que nous serons à nouveau au calme, nous trouverons une **SOLUTION**, vous verrez !

Il n'y avait rien de plus à faire, et le groupe des Téa Sisters décida de se *RETIRER* au Club des Lézards noirs.

HÉ ! HÉ ! HÉ !

L'HISTOIRE SE RÉPÈTE

Les Téa Sisters, Tanja, Elly et Shen traversèrent le **couloir** principal dans un silence pesant : en un instant tout le travail accompli était parti en fumée ; et il ne restait plus que **DEUX** jours avant l'épreuve !

– On aura du mal à trouver une MUSIQUE aussi belle… murmura tristement Tanja. Profondément DÉCOURAGÉS, les huit amis étaient sur le point de sortir. Or, au même moment, quelqu'un d'autre errait MISÉRA-BLEMENT à travers les couloirs… Cette personne n'était autre qu'Octave Encyclopédique de Ratis ! L'humeur tout aussi **sombre** et le visage tout aussi *défait*, il arrivait en

ARGH…

sens **INVERSE**, si bien que, soudain… lui et Paméla se retrouvèrent nez à nez.

– Euh… Comment allez-vous, jeunes gens ? commença le recteur.

– Pas très bien. L'épreuve d'admission au nouveau cours nous donne du fil à retordre ! expliqua Paméla.

Octave Encyclopédique de Ratis soupira :

– Ce genre de défi est toujours **ÉPROUVANT**, mais c'est aussi une bonne occasion de grandir et de progresser.

– Oui, mais ce que demande madame Ratinsky est très **COMPLEXE** ! protesta Shen.

– C'est vrai, on dirait que ce nouveau professeur prend un malin plaisir à nous mettre en difficulté ! renchérit Tanja.

Le recteur répliqua alors :

– Ne pensez pas que madame Ratinsky n'apprécie pas vos **EFFORTS** ! Elle aussi a dû surmonter de nombreux obstacles…

– Vous voulez parler du défi qu'elle a relevé pour créer le Club des Lézards noirs ? hasarda Paulina.

Octave Encyclopédique de Ratis tressaillit.

– Je vois que vous avez déjà entendu parler de la mésaventure qui a conduit à son expulsion…

– Nous savons parfaitement que vous n'auriez jamais RIEN fait d'irrégulier !

déclara Colette avec conviction.

Le regard du recteur s'assombrit :

– En effet, malheureusement ce que dit madame Ratinsky est vrai : quelqu'un a TORPILLÉ son équipe !

ELLE DISAIT VRAI !

SABOTAGE !c

– Incroyable ! s'exclama Colette. Mais qui pouvait vouloir à tout prix la **perte** de madame Ratinsky ?

Le recteur prit une profonde inspiration et prononça un nom :

– Robert Musin… un garçon qui faisait partie de mon ÉQUIPE !

Les filles et Shen retinrent leur souffle, curieux d'entendre la suite de cette TRISTE histoire.

– Robert s'était toujours opposé à la création d'un club pour les filles, poursuivit Octave Encyclopédique de Ratis. Je n'aurais jamais pensé qu'il irait aussi loin ! La nuit qui a précédé la dernière épreuve, il a enduit certains accessoires de sport d'**HUILE**, ce qui les a rendus glissants et très difficiles à manier... Inutile de dire que la partie de **gymnastique** rythmique présentée par les filles a été une catastrophe !

— L'affreux tricheur ! explosa Nicky, vibrant d'indignation.

Le recteur acquiesça :

— Madame Ratinsky a accusé mon équipe, elle a été chassée du collège et notre amitié s'est brisée... Mais, convaincu de la véracité de ses **SOUPÇONS**, je me suis mis aussitôt à la recherche du vrai coupable !

– Et finalement vous avez réussi à **démasquer** Robert Musin ? demanda Violet.

– Oui. J'ai trouvé un **bidon** de cette huile dans son casier et il a été obligé d'avouer…

– Mais votre amie était déjà partie sans laisser de **TRACE**… anticipa Paulina.

– Exactement ! soupira le pauvre recteur. Ce n'est que bien des années après que j'ai pu la retrouver et tout lui raconter. Cela lui a fait plaisir de connaître enfin la **vérité**, mais sa confiance en moi et dans le collège en est restée marquée… et je ne crois pas qu'elle ait réussi à nous pardonner !

Les filles et Shen **REGARDÈRENT** le recteur s'éloigner avec le même air TRISTE et absorbé qu'il avait lors de leur rencontre.

– Par mille bielles embiellées ! tonna Paméla. Il faut faire quelque chose pour l'aider !

– Volontiers, mais comment faire, alors que nous sommes déjà dans les ENNUIS jusqu'au cou ?! marmonna Violet, dubitative.

– Que diriez-vous d'aller faire un *tour* au port, proposa Nicky. Ça pourrait nous rafraîchir les idées !

À LA DÉCOUVERTE DU PORT

Sous un ciel **BLEU** et radieux, les huit amis prirent le sentier qui conduisait au port de l'île. Rapidement, la beauté du paysage dissipa leurs **ruminations** !

Distinguant les bateaux au loin, Shen proposa :

– Descendons vers la mer !

En moins de temps qu'il n'en faut pour le dire, ils arrivèrent au port, dont l'animation les absorba aussitôt.

– Mmmh… le bon parfum de l'**IODE** ! se régala Paméla.

– Et regardez toutes ces **couleurs** ! fit remarquer Paulina en contemplant les vagues

turquoises, les reflets dorés du soleil et les étals de fruits chamarrés.

– Voyons ce qu'on **ENTEND** ! suggéra Violet. Silencieux et immobiles, les amis réussirent à identifier plusieurs sons :

Le clapotis des vagues, les portes des containers métalliques ouvertes et refermées, les lourdes caisses tirées et relâchées…

– Gardez le RYTHME ! dit Paméla tout en frappant dans ses pattes en suivant le tempo.

Tous se mirent à danser et à *battre* des pattes en écoutant les bruits de la vie tout autour.

– Voici le fond SONORE qu'il faut pour notre numéro, affirma Pam.

Colette rebondit sur son idée :

– Et comme chorégraphie, nous pourrions nous inspirer des vagues et des mouvements des ANIMAUX !

– Les costumes aussi pourraient rappeler le monde de la MER... ajouta Tanja.

– Dans les tons vivants du port ! renchérit Elly.

– Moi, je m'occuperai de la MUSIQUE en recréant des sons suggérant cette atmosphère ! s'anima Shen.

– L'idéal serait de réunir, dans un même ensemble, des rythmes et des styles différents... réfléchit Tanja.

– La danse classique ! lança Colette.

– Le hip-hop ! ajouta Paméla.

– La danse acrobatique ! fit Nicky.

– Le modern-jazz… contribua Violet.

– Et, bien sûr, le tango ! se réjouit Paulina.

En se promenant dans le port, les Téa Sisters,
Shen et les autres filles avaient finalement

retrouvé l'**inspiration** pour leur essai !
Colette conclut, rayonnante :
– C'est bien nous, tout ça ! Et voici donc notre
vision du monde...

MASCARADE

Dans l'équipe des Vanilla Girls, l'ambiance
était tout autre !

– Bougez-vous, voyons ! **HURLAIT** Vanilla.
Vous êtes des incapables !

Les garçons étaient épuisés... Vanilla avait
acheté des costumes d'**OPÉRETTE** qui ren-
daient chaque pas plus difficile. Et les mouvements maladroits des danseurs étaient encore
plus comiques sous ces montagnes de falbalas !

– On n'en **peut** plus ! dit Vik, éreinté.

– J'ai **MAL** aux jambes ! Et Craig n'arrête pas de
m'écraser les pieds ! ajouta Alicia, qui en avait
assez.

Zoé se laissa glisser à terre, haletante.

– Vanilla, notre numéro est un **désastre**, reconnais-le !

Les yeux de l'intéressée BRILLÈRENT de manière inquiétante.

Oups...

AÏE !

– Oui, c'est bien ce que je pensais...

Puis, elle sourit :

– Et tu penses qu'une de Vissen va laisser des petites mozzarellas comme vous la ridiculiser sans rien faire ?

Connie s'arrêta à son tour :

– Que veux-tu dire ?

Une expression de TRIOMPHE se peignit sur le visage de Vanilla.

– Je veux dire que, malgré votre totale absence de talent, notre numéro sera un **SUCCÈS** !

Incrédules, les garçons s'approchèrent pour entendre Vanilla dévoiler son plan **SECRET**.

– Dès que j'ai appris qu'il y aurait une épreuve de danse, j'ai appelé maman et je lui ai demandé de nous trouver immédiatement trois formidables *danseurs* professionnels pour remplacer les garçons !

– Quoi ?! protesta Vik. On a répété pendant des jours et des jours et on ne participerait pas à la représentation finale ?!

– Exact ! confirma Vanilla. Mais vous entrerez sur scène à la fin pour ne pas éveiller les **soupçons** des professeurs !

– Comment penses-tu pouvoir **substituer** trois inconnus à Vik, Craig et Sebastian ? s'étonna Zoé.

Affichant un sourire rusé, Vanilla sortit trois **MASQUES** d'un coffre arrivé le matin même.

– Avec ça sur le museau, personne ne fera la différence !

Les garçons restèrent sans voix : Vanilla avait vraiment pensé à tout !

Vik fut le premier à réagir :

– Sans moi ! Tu penses vraiment pouvoir nous traiter comme ça ? Cette fois, tu es allée **TROP LOIN**, Vanilla !

Se redressant fièrement, il tourna les talons et quitta la pièce, suivi de Craig et de Sebastian.

ALLONS-NOUS-EN !

L'UNION FAIT LA FORCE !

Après la promenade sur le port, les Téa Sisters et leurs amis brûlaient de commencer à travailler à leur nouveau NUMÉRO.

Alors qu'ils se dirigeaient vers le gymnase, ils rencontrèrent Vik, Sebastian et Craig.

– Que se passe-t-il ? demanda Paulina en voyant leur mine abattue.

– Nous ne participons plus à l'épreuve ! répondit Sebastian, consterné.

Les trois garçons racontèrent alors toute l'histoire à l'équipe des Téa Sisters.

– Donc, après nous avoir VOLÉ notre musique... conclut Nicky, abasourdie, Vanilla a eu le culot de vous remplacer par des danseurs professionnels !

– Je n'arrive pas à le croire… commenta Craig. On s'est donné tout ce mal pour RIEN… Et, désormais, plus question d'être admis au nouveau cours !

– Une petite minute ! intervint Violet. Nous ne pouvons pas accepter que Vanilla vous évince de l'épreuve, vous êtes tous d'accord avec moi ?!

– Bien sûr ! Il y a de la place pour vous aussi dans notre numéro… Enfin, si vous réussissez à suivre le RYTHME, suggéra Colette en leur adressant un clin d'œil.

Vik releva le DÉFI :

– Tu peux y compter !

Ils se mirent immédiatement au travail, tous ensemble.

⭐1 **13 H 30**
PAM APPREND DES PAS
DE HIP-HOP À CRAIG !

⭐2 **15 H 30**
CHACUN FAIT PREUVE DE
CAPACITÉS SURPRENANTES !

⭐3 **16 H 30**
COLETTE CHERCHE LES BONS
PAS AVEC SEBASTIAN.

⭐4 **18 H 40**
PAULINA ET VIK SEMBLENT NÉS
POUR DANSER ENSEMBLE !

5 20 H 30
LES RÉPÉTITIONS CONTINUENT
SANS INTERRUPTION... OU
PRESQUE !

RONF...
RONF...

6 22 H 50
ET PENDANT QUE L'UN SE REPOSE,
L'AUTRE CONTINUE À TRAVAILLER !

7 7 H 25
MÊME ELLY ET TANJA
TRAVAILLENT SANS ARRÊT...
AVEC QUELQUES IMPRÉVUS !

8 9 H 15
L'ÉQUIPE A FINALEMENT REMPORTÉ SON
PARI : LE SPECTACLE EST PRÊT !

BAS
LES MASQUES !

Le jour tant redouté de l'ÉPREUVE pour l'admission au cours de madame Ratinsky arriva finalement très rapidement !

Les équipes se retrouvèrent toutes dans la grande salle de danse, attendant qu'arrive leur tour de se présenter.

La célèbre artiste et ses assistants étaient installés derrière une **LONGUE TABLE**, au fond de la pièce, et discutaient entre eux.

– J'ai la bouche complètement SÈCHE, Vivi, murmura Paméla. Tu penses que j'ai de la fièvre ?

– Ça m'étonnerait, répondit celle-ci en lui posant une main sur le front. C'est plutôt le trac… Si ça peut te consoler, moi, j'ai les pattes qui FLAGEOLENT !

Madame Ratinsky s'éclaircit alors la voix, haussa un SOURCIL et appela la première équipe :

– Vanilla de Vissen et son équipe, commencez, je vous prie !

Vanilla et ses coéquipiers firent leur entrée sous des murmures admiratifs : elle et ses amies étaient RESPLENDISSANTES dans leurs costumes sophistiqués, et les trois danseurs qui les accompagnaient se déplaçaient avec une AISANCE étonnante.

La musique commença et tout sembla se passer idéalement : les trois professionnels s'efforçaient de prévenir les ERREURS de leurs cavalières peu expérimentées, et, quand le silence revint, les autres étudiants APPLAUDIRENT, conquis par la technique parfaite de ces concurrents.

– C'est le moment de révéler le **TRUC** de Vanilla, proposa Paméla.

– Attends une minute... intervint Colette. Ce ne sera peut-être pas nécessaire.

Elle s'était aperçue que les professeurs affichaient soudain une **EXPRESSION** étrange...

Vanilla était rayonnante, mais madame Ratinsky fit disparaître son sourire en lui adressant un regard **GLACIAL**.

– Nous pourrions commenter les aspects techniques de cette performance, dit-elle d'un ton ferme et **SÉVÈRE**, ou encore l'interprétation, mais la première chose à faire, me semble-t-il, est de demander au chef de cette équipe si elle a quoi que ce soit à confesser...

Vanilla devint BLANCHE comme un linge. À l'évidence, madame Ratinsky avait compris que les garçons étaient des PROFESSIONNELS !

L'enseignante se leva et rejoignit à pas lents les trois danseurs, sous le regard MÉDUSÉ de tous les étudiants.

– BIEN, BIEN, BIEN... Messieurs, nous ne nous serions pas déjà vus quelque part ?! les

apostropha-t-elle. Impossible d'oublier ton art des culbutes, Brian ! Steve, tes pattes ne savent donc toujours pas s'**ALIGNER** sur tes épaules ? Quant à toi, David, je vois que tu t'es **COUPÉ** les cheveux !

Les danseurs engagés par Vanilla étaient en fait d'anciens élèves de madame Ratinsky !

La jeune fille essaya de se **JUSTIFIER**, mais l'enseignante l'arrêta net :

– Je ne veux plus rien avoir à faire avec des imposteurs comme toi, Vanilla ! Je sais maintenant qu'on ne peut espérer aucune sincérité ou honnêteté de la part des élèves de ce collège ! J'en suis profondément indignée ! *JE M'EN VAIS... ET, CETTE FOIS, POUR DE BON !*

UNE SECONDE CHANCE

Madame Ratinsky se dirigea d'un air dédaigneux vers la porte, mais quelqu'un lui BARRA le passage.

C'était le recteur, bien décidé à ne pas laisser se reproduire ce qui s'était passé de nombreuses années plus tôt.

– Une fois déjà, tu as fait l'erreur de t'en aller, Camille ! dit-il en l'appelant par son prénom comme à l'époque où ils étaient *amis*.

Madame Ratinsky, un moment prise de cours, répliqua :

– Tu m'as déjà exposé ton POINT DE VUE, Octave, et j'ai accepté de revenir sur cette île, mais je constate que rien n'a changé…

– Ce n'est pas du passé dont il est question aujourd'hui, mais du *FUTUR*, de leur futur ! plaida le recteur en désignant les garçons et les filles qui assistaient, abasourdis, à cette scène. Tu as le pouvoir de changer le cours des événements en te comportant d'une autre manière que celle adoptée par notre recteur jadis !

RÉFLÉCHIS, CAMILLE !

– Que veux-tu dire par là ? s'exclama madame Ratinsky, surprise. Octave Encyclopédique de Ratis expliqua :

– Tu sais bien que si tu t'en vas maintenant,

tu sanctionneras non seulement ceux qui ont
TRICHÉ, mais aussi ceux qui ont travaillé
dur et en toute probité !

Rosalyn Plié intervint :

– Madame, peut-être pourrait-on donner à une
autre ÉQUIPE la possibilité de montrer le
résultat de son TRAVAIL !

– Je propose d'évaluer l'essai des Téa Sisters !
proposa alors le professeur Show, adressant un
clin d'œil à l'équipe concernée.

Madame Ratinsky regarda autour d'elle, hési-
tante, et finit par céder :

– *D'accord !* Qu'elles présentent leur numéro !

Sur ces mots, les Téa Sisters et leurs coéquipiers *BONDIRENT* sur la piste !

LE MONDE SUR UN AIR DE DANSE

La musique composée par l'équipe des Téa Sisters commença à vibrer dans l'air, pendant que Shen réglait les lumières accompagnant chaque couple de danseurs.

Les premiers à entrer en scène furent Colette et Sebastian, superbes dans les COSTUMES créés pour eux par Elly et Tanja. Tous deux présentèrent un enchaînement de danse *classique* sur une mise en scène inspirée de la **MER**.

La musique gagna en intensité et ce fut au tour de Paulina, qui surgit au bras de Vik, tous deux virevoltant au rythme du TANGO.

Lorsque le couple se figea en une figure gracieuse, les bras entrelacés, les spectateurs murmurèrent d'admiration.

Mais, le tempo changea et les éclairages illuminèrent Paméla et Craig, qui exécutèrent de bondissantes figures acrobatiques en battant des pattes sur un rythme entraînant de HIP-HOP !

La mélodie devint légère comme un souffle et Violet fit son entrée. Vêtue d'une robe lilas, dont les plis cascadants suggéraient les pétales d'une fleur, elle voltigea délicatement en jouant du violon. Les sons subtils de l'instrument se diffusèrent dans toute la pièce.

Shen modifia l'intensité des lumières pour accueillir Nicky, qui enchaîna une série de bonds et de pirouettes AGILES, conclue par un saut de biche aérien !

Tous rejoignirent le centre de la scène, et l'essai s'acheva en une *JOYEUSE* communion de sons et de couleurs.

Quand la musique cessa, tous retinrent leur souffle dans l'attente du JUGEMENT de madame Ratinsky. La célèbre enseignante était sur le point de décider si elle resterait à Raxford pour diriger le nouveau cours ou si, escortée par ses assistants, elle quitterait l'île à tout jamais !

Elle garda le silence pendant un moment qui parut interminable. Puis, lentement, un grand *sourire* se dessina sur son visage, et elle déclara d'une voix émue :

Bravo à tous et... merci ! Votre enthousiasme m'a ramenée de nombreuses années en arrière... quand j'étais exactement comme vous !

YOUPIIIIII !

Les applaudissements qui suivirent semblèrent
durer une éternité, et les cinq amies n'en fini-
rent plus de sauter de *joie* et de s'embrasser !

Un précieux cadeau

Madame Ratinsky et le collège de Raxford avaient ainsi finalement fait la **PAIX**, et la responsable du cours sur les Arts, la Musique et le Spectacle était heureuse d'être revenue sur l'île.

– Mon cher Octave ! s'exclama-t-elle en serrant le recteur dans ses bras comme un vieil ami. Grâce à toi et à tes jeunes étudiants, j'ai compris l'importance d'accorder aux autres une seconde chance !

Octave Encyclopédique de Ratis lança un regard **SÉVÈRE** à Vanilla et, se tournant vers toute son équipe, il déclara :

– C'est précisément ce que nous vous donnerons à vous aussi : une **SECONDE CHANCE** !

Nous pardonnons votre tricherie pour cette fois, mais, que ce soit clair, ne vous avisez pas de trahir notre confiance à nouveau !

Puis, il sortit de sa poche un petit **ECRIN**, celui-là même que madame Ratinsky n'avait pas voulu accepter le jour de son arrivée.

– Maintenant que tout est résolu, permets-moi de te rendre hommage à travers un présent **particulier** !

– Un cadeau pour moi ? s'étonna-t-elle.

– L'EMBLÈME DES LÉZARDS NOIRS ! murmura le recteur. Il aura attendu bien des années avant d'aboutir dans les mains de la seule personne qui mérite de le garder : la véritable et unique fondatrice du Club des Lézards noirs !

HOURRA!

Les Téa Sisters et tous les autres étudiants **applaudirent** longuement.

Shen disparut un instant, et, soudain, la musique qu'il avait créée pour l'ESSAI de son équipe se diffusa à nouveau dans l'air. En l'espace de quelques instants, tous se laissèrent emporter par son rythme ! Mademoiselle Plié commença à VIREVOLTER avec Colette, pendant que Sourya entraînait Robert Show dans une danse endiablée…

– REGARDEZ ! s'écria Nicky.

Le recteur avait invité madame Ratinsky à danser… et il s'évertuait gauchement à suivre ses sublimes évolutions !

Adressant un clin d'œil aux autres Téa Sisters,
Violet commenta malicieusement :
– Pas de doute, les **amies**, ce cours promet
de réserver beaucoup, beaucoup de bonnes
SURPRISES !

TABLE DES MATIÈRES

DANS LA MÊME COLLECTION

Et aussi...

Hors-série
Le Prince de l'Atlantide

ÎLE
DES BALEINES

L'île des Baleines

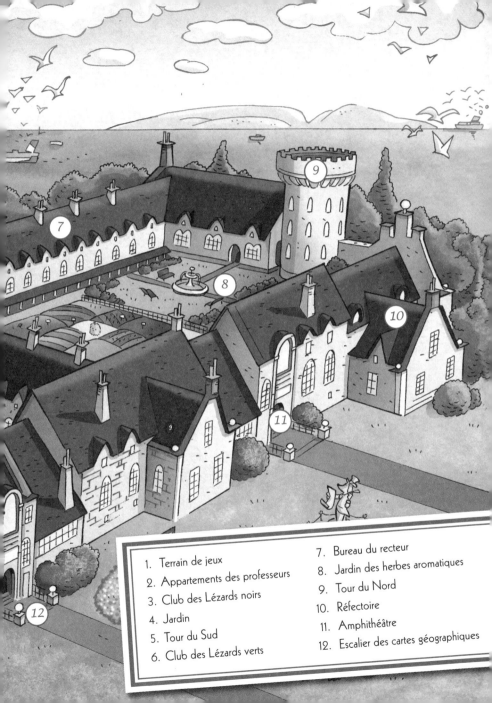

1. Terrain de jeux
2. Appartements des professeurs
3. Club des Lézards noirs
4. Jardin
5. Tour du Sud
6. Club des Lézards verts
7. Bureau du recteur
8. Jardin des herbes aromatiques
9. Tour du Nord
10. Réfectoire
11. Amphithéâtre
12. Escalier des cartes géographiques